坚定信心　共克时艰
共建更加美好的世界

——在第七十六届联合国大会一般性辩论上的讲话

（2021年9月21日）

习　近　平

人　民　出　版　社

坚定信心　共克时艰
共建更加美好的世界

——在第七十六届联合国大会一般性辩论上的讲话

（2021年9月21日）

中华人民共和国主席　习近平

主席先生：

2021年对中国人民是一个极其特殊的年份。今年是中国共产党成立100周年。今年也是中华人民共和国恢复在联合国合法席位50周年，中国将隆重纪念这一历史性事件。我们将继续积极推动中国同联合国合作迈向新台阶，为联合国崇高事业不断作出新的更大贡献。

主席先生！

一年前，各国领导人共同出席了联合国成立75周年系列峰会，发表了政治宣言，承诺合作抗击疫情，携手应对挑战，坚持多边主义，加强联合国作用，构建今世后代的共同未来。

一年来，世界百年未有之大变局和新冠肺炎疫情全球大流行交织影响。各国人民对和平发展的期盼更加殷切，对公平正义的呼声更加强烈，对合作共赢的追求更加坚定。

当前，疫情仍在全球肆虐，人类社会已被深刻改变。世界进入新的动荡变革期。每一个负责任的政治家都必须以信心、勇气、担当，回答时代课题，作出历史抉择。

第一，我们必须战胜疫情，赢得这场事关人类前途命运的重大斗争。一部世界文明史也是同瘟疫斗争的历史，人类总是在不断战胜挑战中实现更大发展和进步。这次疫情虽然来势凶猛，我们终将战而胜之。

我们要坚持人民至上、生命至上，呵护每个人的生命、价值、尊严。要弘扬科学精神、秉持科学态度、遵循科学规律，统筹常态化精准防控和应急处置，统筹疫情防控和经济社会发展。要加强国际联防联控，最大限度降低疫情跨境传播风险。

疫苗是战胜疫情的利器。我多次强调，要把疫苗作为全球公共产品，确保发展中国家的可及性和可负担性，当务之急是要在全球范围内公平合理分配疫苗。中国将努力全年对外提供20亿剂疫苗，在向“新冠疫苗实施计划”捐赠1亿美元基础上，年内再向发展中国家无偿捐赠1亿剂疫苗。中国将继续支持和参与全球科学溯源，坚决反对任何形式的政治操弄。

第二，我们必须复苏经济，推动实现更加强劲、绿色、健康的全球发展。发展是实现人民幸福的关键。面对疫情带来的严重冲击，我们要共同推动全球发展迈向平衡协调包容新阶段。在此，我愿提出全球发展倡议：

——**坚持发展优先。**将发展置于全球宏观政策框架的突出位置，加强主要经济体政策协调，保持连续性、稳定性、可持续性，构建更加平等均衡的全球发展伙伴关系，推动多边发展合作进程协同增效，加快落实联合国 2030 年可持续发展议程。

——**坚持以人民为中心**。在发展中保障和改善民生，保护和促进人权，做到发展为了人民、发展依靠人民、发展成果由人民共享，不断增强民众的幸福感、获得感、安全感，实现人的全面发展。

——**坚持普惠包容**。关注发展中国家特殊需求，通过缓债、发展援助等方式支持发展中国家尤其是困难特别大的脆弱国家，着力解决国家间和各国内部发展不平衡、不充分问题。

——**坚持创新驱动**。抓住新一轮科技革命和产业变革的历史性机遇，加速科技成果向现实生产力转化，打造开放、公平、公正、非歧视的科技发展环境，挖掘疫后经济增长新动能，携手实现跨越发展。

——**坚持人与自然和谐共生**。完善全球环境治理，积极应对气候变化，构建人与自然生命共同体。加快绿色低碳转型，实现绿色复苏发展。中国将力争2030年前实现碳达峰、2060年前实现碳中和，这需要付出艰苦努力，但我们会全力以赴。中国将大力支持发展中国家能源绿色低碳发展，不再新建境外煤电项目。

——**坚持行动导向**。加大发展资源投入，重点推进减贫、粮食安全、抗疫和疫苗、发展筹资、气候变化和绿色发展、工业化、数字经济、互联互通等领域合作，加快落实联合国2030年可持续发展议程，构建全球发展命运共同体。中国已宣布未来3年内再提供30亿美元国际援助，用于支持发展中国家抗疫和恢复经济社会发展。

第三，我们必须加强团结，践行相互尊重、合作共赢的国际关系理念。一个和平发展的世界应该承载不同形态的文明，必须兼容走向现代化的多样道路。民主不是哪个国家的专利，而是各国人民的权利。近期国际形势的发展再次证明，外部军事干涉和所谓的民主改造贻害无穷。我们要大力弘扬和平、发展、公平、正义、民主、自由的全人类共同价值，摒弃小圈子和零和博弈。

国与国难免存在分歧和矛盾，但要在平等和相互尊重基础上开展对话合作。一国的成功并不意味着另一国必然失败，这个世界完全容得下各国共同成长和进步。我们要坚持对话而不对抗、包容而不排他，构建相互尊重、公平正义、合作共赢的新型国际关系，扩大利益汇合点，画出最大同心圆。

中华民族传承和追求的是和平和睦和谐理念。我们过去没有，今后也不会侵略、欺负他人，不会称王称霸。中国始终是世界和平的建设者、全球发展的贡献者、国际秩序的维护者、公共产品的提供者，将继续以中国的新发展为世界提供新机遇。

第四，我们必须完善全球治理，践行真正的多边主义。世界只有一个体系，就是以联合国为核心的国际体系。只有一个秩序，就是以国际法为基础的国际秩序。只有一套规则，就是以联合国宪章宗旨和原则为基础的国际关系基本准则。

联合国应该高举真正的多边主义旗帜，成为各国共同维护普遍安全、共同分享发展成果、共同掌握世界命运的核心平台。要致力于稳定国际秩序，提升广大发展中国家在国际事务中的代表性和发言权，在推动国际关系民主化和法治化方面走在前列。要平衡推进安全、发展、人权三大领域工作，制定共同议程，聚焦突出问题，重在采取行动，把各方对多边主义的承诺落到实处。

主席先生！

世界又站在历史的十字路口。我坚信，人类和平发展进步的潮流不可阻挡。让我们坚定信心，携手应对全球性威胁和挑战，推动构建人类命运共同体，共同建设更加美好的世界！

图书在版编目(CIP)数据

坚定信心　共克时艰　共建更加美好的世界/习近平 著. —北京：
　人民出版社,2021.10
ISBN 978 - 7 - 01 - 023859 - 3

Ⅰ.①坚…　Ⅱ.①习…　Ⅲ.①习近平-讲话　Ⅳ.①D2 - 0

中国版本图书馆 CIP 数据核字(2021)第 203168 号

(RMC - ZJDXI - 114 - 20210921)

坚定信心　共克时艰　共建更加美好的世界

JIANDING XINXIN GONGKE SHIJIAN GONGJIAN GENGJIA MEIHAO DE SHIJIE

(2021 年 9 月 21 日)

习　近　平

人民出版社 出版发行
(100706　北京市东城区隆福寺街 99 号)

北京新华印刷有限公司印刷　新华书店经销

2021 年 10 月第 1 版　2021 年 10 月北京第 1 次印刷
开本:880 毫米×1230 毫米 1/32　印张:0.5
字数:6 千字

ISBN 978 - 7 - 01 - 023859 - 3　定价:2.00 元

邮购地址 100706　北京市东城区隆福寺街 99 号
人民东方图书销售中心　电话 (010)65250042　65289539